Original title:

Lichtblicke

Editor: Jessica Elisabeth Luik

Author: Liina Liblikas

ISBN HARDBACK: 978-9916-86-040-3

ISBN PAPERBACK: 978-9916-86-041-0

Funkelnde Momente

Durch die Nacht, so still und klar
funkeln Sterne fern und nah.
Ihre Pracht, ein ew`ges Licht,
malt Geschichten ins Gesicht.

Jeder Stern erzählt von Träumen,
Liebt es, wenn sie sanft erröten.
In den tiefen Weiten, lohnen
sich die Wagnisse der Kronen.

Auf dem Weg durch weite Welten,
halten uns die Sterne fest.
Tragen uns durch Dunkelheiten,
hüten jeden kleinen Rest.

Strahlen der Hoffnung

In des Morgens frischem Glanz,
keimt die Hoffnung, neu und rein.
Ihre Strahlen, sanft und leise,
tragen Mut in jedes Heim.

Wenn die Nächte kalt und finster,
wachsen Ängste, die uns jagen.
Doch ein Lichtblick, er wird heller,
zeigt uns Wege ohne Klagen.

Über Wolken, über Schmerzen,
leuchtet Hoffnung, stark und klar.
Führt uns mit dem Fluss der Herzen,
wächter über jedes Jahr.

Licht im Dunkeln

Durch die Finsternis der Nächte,
tastet sich ein kleines Licht.
Führt uns sanft mit leichten Schritten,
zeigt uns Wege im Gedicht.

Selbst im tiefsten, dunklen Träume,
flackert Licht, es gibt uns Kraft.
Schickt das Dunkel in die Ferne,
wärmt uns mit seiner sanften Nacht.

Jeder Schritt von dir und mir,
sucht das Licht, das uns begleitet.
In den Tiefen, vor dem Ziel,
bleibt die Hoffnung, die verweilt.

Sonnenstrahlen im Regen

Wenn der Himmel weint und klaget,
alle Farben sich verneigen.
Mit dem Tropfen tanzt der Regen,
durch die Straßen ohne Eilen.

Doch im Grau der grauen Stunden,
bricht ein Strahl, der sie besiegt.
Gold'ne Lichtung sich erhellen,
alles Schlechte schnell verfliegt.

Sonnenstrahlen brechen Regen,
malen Orte voller Glück.
Zeigen uns, in schweren Zeiten,
an das Gute denkt zurück.

Strahlenkraft

Im Herzen brennt ein reines Licht,
Die Dunkelheit es sanft durchbricht.
Ein Strahl, der Hoffnung uns verleiht,
Und all die Sorgen still vertreibt.

Wie Sterne funkeln in der Nacht,
Die Sehnsucht wird in uns entfacht.
Mit Mut, der größer als die Furcht,
Wird jedes Hindernis durchbrocht.

Durch Wüstenwinde zieht der Traum,
Folgt einem unsichtbaren Raum.
Wo Liebe stets im Kleinen keimt,
Und in der Ewigkeit vereint.

Im Morgenrot ein neuer Schein,
Mit Kraft betritt die Seele rein.
Ein Weg, der uns zur Wahrheit führt,
Von reiner Liebe auferführt.

Vom Horizont ein Hauch von Glanz,
Die Erde tanzt im Lichtkranz.
Im Einklang mit dem Himmelslicht,
Erstrahlt die Welt im Zuversicht.

Tagheller Geist

Ein Geist, erhellt von Wissensflammen,
Lässt uns durch alle Zeiten wanken.
Ein leuchtend Pfad aus Klarheit webt,
Und uns in neue Welten hebt.

Die Weisen lehren uns Geduld,
Im Herz das Ziel, die Seele huld.
Der Tag erwacht im hellen Glanz,
Und lädt uns ein zum neuen Tanz.

Verborgene Kräfte, tief ergründet,
Ein Geist, der niemals stirbt, verkündet.
Der Wahrheit Pfad, so klar und rein,
Begleitet uns bis ans Gestein.

Mit Weisheit aus den Büchern alt,
Beginnt der Tag, der nächtlich kalt.
Ein Leuchten zeigt uns, wer wir sind,
Im wachen Geist, befreit das Kind.

Die hellen Wolken ziehen fort,
Die Sonne strahlt am neuen Ort.
Ein Tagheller Geist, ein klarer Blick,
Im Wissen finden wir Geschick.

Strahlen der Zuversicht

Morgenlicht bricht durch die Nacht,
Hoffnung in den Herzen wacht,
Unsichtbare Kräfte lenken,
Mutig wir nach vorne denken.

Schleier lichten sich im Wind,
Ziel und Weg nun klar bestimmt,
In den Strahlen reiner Kraft,
Neuer Tag, der Hoffnung schafft.

Mit Vertrauen vorwärts gehen,
Im Gesicht das Leuchten sehen,
Durch die Dunkelheit wir schreiten,
Zuversicht uns stets begleiten.

Helle Wünsche

In den Sternen ruht die Hoffnung,
Wünsche senden wir zur Nacht,
Ganz leise spricht das Herz,
Und die Seele still erwacht.

Licht des Mondes sanft erklärt,
Dass kein Traum verloren geht,
Helle Wünsche in der Ferne,
In das Herz so sacht verweht.

Träume führen uns zum Ziel,
Durch die Nacht ein Sternenmeer,
In den Stimmen ferner Welten,
Wünsche segeln leis und schwer.

Erleuchtete Pfade

Weggefährten sind die Lichter,
Die den Pfad uns weisen klar,
Schritt für Schritt in stiller Nacht,
Erleuchtet ziehen wir Jahr für Jahr.

Fackeln tragen durch das Dunkel,
Hin zur Zukunft, die uns lacht,
Hand in Hand und stets im Glauben,
Dass das Licht den Morgen macht.

Schattenspiele weichen weit,
Mit dem Mut, der uns erhebt,
Auf erleuchteten Pfaden schreiten,
Wo der Geist in Freiheit lebt.

Glänzende Aussichten

Horizonte weit und offen,
In der Ferne leuchtet Licht,
Glänzende, verheißne Aussichten,
In der Seele Zuversicht.

Auf den Wellen glitzert Hoffnung,
Meere tragen uns empor,
In den goldenen Strahlen leben,
Sehnsucht führt uns immer vor.

Hoffnungsstrahlen, Herz erleuchtend,
Zeigen uns das neue Ziel,
Glänzend sind die Aussichten,
In dem Licht, das stets im Spiel.

Erwachte Hoffnung

In dunkler Nacht, ein Licht erglüht,
Die Hoffnung leise sich bemüht,
Ein Funkeln, das im Herzen ruht,
Ein Morgenrot, das Gutes tut.

Die Sterne flüstern sanfte Lieder,
Der Mond scheint heller immer wieder,
In Seelen, die so tief verloren,
Wird neues Leben neu geboren.

Die Dunkelheit, sie weicht zurück,
Kein Raum bleibt mehr für das Geschick,
Ein Keim erwacht im stillen Land,
Den Menschen reicht sich mild die Hand.

Leuchtende Schatten

Schatten tanzen an der Wand,
Im Lichte, das der Mond gesandt,
Ein Spiel aus Licht und Dunkelheit,
Erfüllt von tiefer Zärtlichkeit.

Die Nacht, sie trägt ein Farbenspiel,
Das wandert durch das stille Ziel,
Einheimlich und zugleich so klar,
Wie Märchenträume wunderbar.

Die Schatten spiegeln unser Sein,
Getaucht in goldenes Gestein,
So leuchtet aus dem Dunkel fort,
Ein Stern am fernen Himmelssport.

Sonnenlauf

Die Sonne geht im Osten auf,
Beginnt den goldnen Himmelslauf,
Ein Glanz durchströmt das Himmelszelt,
Erwärmt die werdende, bunte Welt.

Die Strahlen küssen sanft die Erde,
Verleihen Blüten helle Farbe,
Der Tag erwacht im ersten Schein,
Gefüllt mit Licht und mit Gedeih'n.

Wenn dann der Abendhimmel glüht,
Ein roter Schleier sich bemüht,
So endet still der Sonnenlauf,
Die Nacht hebt sanft den Sternenlauf.

Gleißender Hauch

Ein Hauch von Licht im Morgenland,
Führt Träume sanft an deiner Hand,
Vergoldet, wie ein sanfter Schein,
Erfüllt mit Glanz, so friedlich, rein.

Die Auen strahlen, erfüllt vom Glanz,
Ein Nebel tanzt im Morgenkranz,
Es weht ein Wind, so zart und leis,
Ein wunderbarer Tag erweis.

Im Wind, da singt ein helles Lied,
Ein Flüstern, das zum Himmel zieht,
Der Morgen hüllt in reinen Glanz,
Ein Tag beginnt im Lichtertanz.

Tageslichtzauber

Die Sonne küsst den frühen Morgen,
Erhellt die Welt in goldnem Glanz.
Im Nebel fliehen alle Sorgen,
Es tanzt das Licht im sanften Tanz.

Die Bäume strecken ihre Glieder,
Als wollten sie den Himmel fassen.
Ein Vogel singt die schönsten Lieder,
Die ersten Strahlen hochzulassen.

Der Wind flüstert durch die Wiese,
Ein geheimes, leises Klingen.
Das Tageslicht voll zarter Brise,
Lässt uns von neuen Wundern singen.

Strahlen der Gewissheit

Die Sterne wachen über Nacht,
Führen uns mit sanftem Licht.
In dunkler Stunde stille Macht,
Die Schatten zögern widerlich.

Am Horizont bricht bald der Tag,
Mit Farben, die das Herz erfreuen.
Ein neues Morgen, ohne Frag,
Lässt Blumen in den Gärten streuen.

Gewissheit strahlt aus jedem Schein,
Ein Leuchten voller Klarheit.
Im Lichte wird die Welt so rein,
Für alle, die bereit für Wahrheit.

Erstrahltes Herz

Durch die Nacht ein helles Blinken,
Ein Stern, der einsam funkelt.
Gedanken wollen tief versinken,
Im Licht, das sanft und leise dunkelt.

Ein Herz erstrahlt im neuen Glanze,
Die Liebe kehrt zurück ins Leben.
Ein himmlisch-leises Lichtertanze,
Die Sorgen sind für heut vergeben.

In jedem Strahl ein neues Hoffen,
Das Leben zeigt sich ohne Narben.
Es bleibt das Herz im Licht getroffen,
Von Freude, die mit Freunden starben.

Helle Träume

In Nächten voller Sternenpracht,
Die Träume leuchten hell und klar.
Mit sanften Flügeln ohne Fracht,
Schwebt Sehnsucht, zart und wunderbar.

Die Farben tanzen durch die Winde,
Ein Bild aus Licht und Fantasie.
Gefühle, die man heute finde,
Vergessen der Vergangenheit nie.

Ein Traum, der alle Herzen öffnet,
Erhellt die dunkelsten Momente.
Im Lichte dieses Traumes schöpfet
Die Seele Hoffnung neu und Ente.

Strahlen der Morgensonne

Des Morgens sanfte Strahlen
brechen durch die Nacht,
wecken zarte Träume,
ein neuer Tag erwacht.

Vögel singen Lieder,
der Himmel färbt sich rot,
Tau glänzt auf den Wiesen,
ein neuer Anfang droht.

Durch die Bäume flüstern
Blätter sanft im Wind,
die Welt in gold'nen Farben,
der Tag beginnt geschwind.

Erwachen voller Hoffen,
die Sonne kehrt zurück,
Strahlen wärmen Herzen,
und schenken neues Glück.

In jedem ersten Morgen,
eine Chance, so klar und rein,
Strahlen der Morgensonne,
bringen Licht in unser Sein.

Durch das Dämmerlicht

Wenn der Abend sich neigt,
das Licht so sanft zerfließt,
trägt die Dämmerung geheimnisvoll,
was der Tag hinterließ.

Schatten tanzen leise,
in diesem Zwielichtspiel,
die Zeit scheint still zu stehen,
das Dunkel folgt nicht viel.

Ein Hauch von stiller Sehnsucht
liegt in der Luft bereit,
Gedanken werden leiser,
bis die Nacht uns befreit.

Durch das Dämmerlicht hindurch,
ein Flüstern sanft und sacht,
der Tag, er sagt Lebewohl,
und übergibt an die Nacht.

In dieser letzten Stunde,
wird alles ruhig und sacht,
eine friedvolle Stille,
dankbar für die Nacht.

Hoffnung im Sonnenaufgang

Die Dunkelheit vergeht,
der Himmel färbt sich klar,
im Dämmerlicht der Morgen,
wird Hoffnung offenbar.

Ein neuer Tag erblüht,
erfüllt mit Glanz und Licht,
von strahlender Zuversicht,
erhellt Gesicht um Gesicht.

Die Welt erwacht in Pracht,
und Hoffnung wächst empor,
trägt neue Chancen mit sich,
die Nacht ist längst verlor.

Im ersten Licht des Tages,
erstrahlt die Welt so rein,
mit jedem neuen Morgen,
kann Hoffnung ewig sein.

So grüßt uns der Sonnenaufgang,
verspricht ein Licht so rein,
eine Hoffnung, die nie schwindet,
im Herzen ganz allein.

Leuchten des Lebens

Das Leben strahlt in Farben,
durch Höhen und durch Tiefen,
immer heller leuchtet,
der Mensch, den wir lieben.

Durch Zeiten voller Freude,
durch Zeiten, die uns plagen,
trägt uns das Leuchten,
auch durch dunkelste Tage.

Glanzlichter der Erinnerung,
verleihen Kraft und Mut,
im Leuchten dieses Lebens,
finden wir, was gut tut.

Die Wege, die wir gehen,
führt oft ein sanftes Licht,
ein Strahl der Hoffnung,
der uns im Herzen spricht.

So leuchten wir im Leben,
sei's Kummer oder Glück,
das Licht in uns'ren Herzen,
führt uns stets zurück.

Licht der Zukunft

Ein Sternenmeer so weit und klar,
Strahlt Hoffnung in die Nacht hinein.
Ein neues Ziel, so wunderbar,
Wird unser steter Anker sein.

Wir schreiten voran, den Tag zu fassen,
Im Glauben an das, was entsteht.
Durch dunkle Nächte, kalte Gassen,
Sehen wir, wie die Zeit vergeht.

Denn in der Ferne leuchtet weit,
Ein Licht, das uns den Weg befreit.
Mit starkem Willen, Mut und Kraft,
Bauen wir eine neue Welt.

Die Zukunft liegt in unsern Händen,
Von uns wird jede Tat geprägt.
Es gilt, das Dunkel zu beenden,
Wenn unser Herz vor Freude schlägt.

Ein neues Morgen, klar und hell,
Erwartet uns mit Zuversicht.
Das Alte schwindet, schnell zerfällt,
Sei unser Führer, Zukunftslicht.

Silberstreif am Horizont

Wenn die Nacht am tiefsten ist,
Und Sterne leise flüstern.
Erscheint ein Streif, so rein und frei,
Und lässt uns Hoffnung spüren.

Im Glanz der Morgensonne,
Verliert sich jede Pein.
Der Horizont, er zeigt uns Licht,
Es bricht durch jede Wand.

Vergangenes weicht, der Tag erwacht,
Im Glanze neuen Mutes.
Ein Silberstreif am Horizont,
Im Herzen, dort wird's gut.

Die Schatten ziehen, lassen los,
Das Licht erhellt sie allen.
Ein neuer Anfang leuchtet klar,
Wenn Sonnenstrahlen fallen.

Ein sanfter Hauch von Zukunft,
Liegt in der frischen Luft.
Ein Silberstreif am Horizont,
Ein Zeichen tief und kluft.

Erwachen des Tages

Wenn die ersten Vögel singen,
Und der Nebel leise zieht,
Lässt der Tag sich langsam finden,
Wie ein Traum, der nie entflieht.

Im Glanz des Morgens schimmert Licht,
Erweckt das Land zum Leben.
Ein neues Kapitel, klar und rein,
Hat uns der Tag gegeben.

Die Welt erstrahlt in hellem Schein,
Ein jeder Weg wird klar.
Ein neuer Anfang, still und fein,
Der gestern noch verborgen war.

Die Sonnenstrahlen wärmen sacht,
Die Herzen, die noch ruhen.
Erwachen lassen, was er macht,
Im Takte der Natur.

Wir gehen vorwärts, Schritt für Schritt,
Erwachen zum neuen Tag.
Was kommen mag, wir tragen's mit,
Was in uns liegt, wird stark.

Wärme des Lichts

Die Sonne steigt empor am Rand,
Bringt Wärme in das Herz des Lands.
Ein neuer Tag bricht strahlend an,
Die Dunkelheit nimmt ihren Bann.

Was gestern kalt und leer erschien,
Erfüllt nun warmer Sonnenschein.
Ein goldener Glanz am Horizont,
Vernichtet Kummer, Angst und Zorn.

Das Licht, es bringt uns Hoffnung pur,
Verstreut die Schatten der Natur.
In seinen Strahlen liegt gebannt,
Die Liebe, die uns wohlbekannt.

Wie Balsam streicht es auf die Haut,
Heilt Wunden, die die Zeit gebaut.
Ein Hauch von Fröhlichkeit erwacht,
Wenn Wärme uns des Lichts bedacht.

So lebe wohl, du Nachtgestalt,
Der Sonne Weg ist klar und bald.
Die Wärme, die das Licht entflammt,
Gibt uns den Mut, den Tag gebannt.

Sonnengeküsst

Morgenrot küsst sanft die Flur,
weckt die Welt aus tiefem Traum,
blühend Feld in goldner Spur,
strömt der Sonnen heller Saum.

Vögel singen, leicht und frei,
Frühlingsmorgen, heiter-laut,
Tau im Gras, das Glitzerspiel,
wo der Sonnentraum sich staut.

Leiser Wind durch Wipfel weht,
Sommer lacht im Blütenmeer,
jedes Wesen liebend steht,
sonnengeküsst, das Sehnen schwer.

Wärme fließt durch jedes Glied,
Herz erbebt im Lichterschein,
in der Wonne, die vermischt
Sonne, Geist und Glück allein.

Erleuchtung in der Dunkelheit

In der Nacht so still und tief,
flüstert Mond im Dunkelmeer,
Sterne flackern, selig streb,
zu den Träumen, licht und schwer.

Wächter sind die alten Bäume,
schwarze Blätter, Schatten reich,
leises Rauschen in den Räumen,
denken Geschichten, mild und weich.

Kerzenschein durchbricht das Dunkel,
flämmchenzitternd, Hoffnungsschein,
Herz von Liebe ist ein Funkel,
tanze Licht, nie mehr allein.

Dunkelheit birgt das Verstehen,
ewig strahlend, still und klar,
Licht und Schatten Hand in Hand,
Erleuchtung nah, für immerdar.

Schimmernder Anfang

Erster Strahl durchbricht die Nacht,
näher rückt der helle Morgen,
Träume weichen, neue Pracht,
Erwachen frei von allen Sorgen.

Tau im Gras, das Licht sich bricht,
Hoffnung flammt im neuen Tag,
Blüten öffnen sich im Licht,
Frühling grüßt mit leisem Schlag.

Lieder singen ohne Mühe,
in den Herzen keimt das Glück,
Schimmern füllt die weite Bühne,
Junges Leben, Stück für Stück.

Schillernd wächst der junge Tag,
Hand in Hand mit neuer Zeit,
Ewigkeit im Augenblick,
Herz im Schimmern offen, weit.

Klarheit der Dämmerung

Roter Glanz am Horizont,
Tag sich neigt, der Mond erwacht,
Dämmerung, die liebevoll thront,
Friedlichkeit in sanfter Nacht.

Blumen schließen ihre Blätter,
Winde schlafen still und leis,
beginnt des Nachtes zarte Wetter,
Stille strahlt das Himmelskreis.

Wellen flüstern ihre Lieder,
Meeresruhen tief und klar,
Himmel, der in Farben blüht,
zauberhaft und wunderbar.

Dämmerung ist Zeit der Klarheit,
Zeigt die Welt in anderm Licht,
Herzen finden Ruh und Wahrheit,
Träume folgen, weichen nicht.

Erhellender Zauber

Im Nebel tanzen Lichter flimmernd,
Ein Zauber webt, in Nacht gehüllt.
Ein Sternenmeer, so sanft und schimmernd,
Das Dunkel sich in Glanz erfüllt.

Durch nächt'ge Gassen zieht sich Weh,
Ein leises Flüstern, Heimlichkeit.
Doch plötzlich strahlt ein helles Sehen,
Und Hoffnung keimt in Dunkelheit.

Die Schatten, sie entweichen, sacht,
Ein neuer Morgen, gold'nes Licht.
Erhellender Zauber, neu erwacht,
Und Schwermut zeigt ihr Angesicht.

Erstrahlender Pfad

Ein Pfad erstrahlt im Dämmerlicht,
Die Schatten kommen nicht mehr nach.
Ein Schritt nach vorn, ein neuer Sicht,
Erblüht die Welt wie Löwenzahn.

Die Sonne küsst das sanfte Land,
Und Träume weben sich so leicht.
Ein strahlend Band, wie Liebeshand,
Das Herz zum Sternenthron erreicht.

Die Dunkelheit, sie zieht vorbei,
Erstrahlend Pfad weist mir den Weg.
Ein neues Morgen, sorgenfrei,
Ein Leben, das in Helligkeit schlägt.

Glanz der Freiheit

Im Wind die Fahnen, stolz und frei,
Ein Ruf nach Freiheit, laut und klar.
Der Himmel weit, so himmelblau,
Die Ketten fallen, wunderbar.

Ein Adler schwingt sich in die Höh',
Die Wolken teilen sich, so sacht.
Und jedes Echo, leis und schön,
Im Glanz der Freiheit neu erwacht.

Das Herz im Takt der Freiheit schlägt,
Die Lieder tragen weit hinaus.
Der Horizont, er nie vergeht,
Ein freies Leben, stark und groß.

Licht in der Ferne

Ein Licht in der Ferne, zart und klar,
Es flüstert leise, ruft mich fort.
Die Dunkelheit, sie wird nicht wahr,
Mein Herz erspürt den lichten Ort.

Die Sterne zeigen mir den Weg,
Ein Pfad aus Hoffnungsstrahlen fein.
In jedem Schritt ein neuer Segen,
Ein Licht, das lockt und willig scheint.

Und in der Ferne sehe ich,
Ein Heim aus Licht, voll warmen Glanz.
Die Heimat ruft, ich folge dicht,
Und finde Frieden, tanzend ganz.

Sonnenaufgang

Der Himmel bunt im Morgenrot,
Wenn die Erde leise erwacht,
Durch die Stille weht der Wind,
Ein neuer Tag voller Pracht.

Strahlen berühren sanft die Welt,
Erwärmen Herzen und Sinn,
Die Dunkelheit flieht weit hinfort,
Ein Lächeln bricht tief von innen.

Zwischen Gold und Silberglanz,
Blüht die Natur im Frieden,
Im ersten Licht erstrahlt das Land,
Verträumt und still beschieden.

Die Vögel singen ihren Gruß,
Ein Lob an diesen Morgen,
Wo Zweifel schwindet, Freude ruht,
Vergessen sind die Sorgen.

So leben wir im Schein der Zeit,
Der Sonnenaufgang unser Begleiter,
Mit Hoffnung gehen wir im Licht,
Die Seele wird stets heiter.

Glühende Augenblicke

Die Flamme tanzt im Abendlicht,
Ein Funkenmeer aus Glanz,
In Augen glänzt die Leidenschaft,
Ein zarte, feuriger Glanz.

Momente voller Ewigkeit,
Vergangen und doch nah,
Ein Blick genügt, das Herz erblüht,
Die Seele fühlt sich stark.

Verborgen in der Dunkelheit,
Leuchtet der Glanz der Sterne,
Ein Augenblick der Zweisamkeit,
Im Herzen selige Ferne.

Mit jedem stillen Atemzug,
Vereint im Glut des Traums,
Zerfallen alle Ängste gar,
Die Liebe greift den Raum.

So bleibt im Schatten dieser Nacht,
Die Erinnerung zurück,
An glühende Augenblicke,
An ewiges Glück.

Schimmernde Hoffnung

Ein Licht im Nebel, klar und rein,
Ein Schimmer sanft und fein,
Hoffnung trägt uns durch die Nacht,
Bis der Morgen bricht herein.

Ein Funke tief im Herzen ruht,
Die Dunkelheit vertreibt,
In jedem Schmerz, im großen Leid,
Der Hoffnungsschimmer bleibt.

In Tränen blüht ein leises Lachen,
Ein Strahl aus goldnem Licht,
Mag alles fallen, alles weichen,
Die Hoffnung bricht nicht.

Durch Stürme findet sie den Pfad,
Entfacht im Innern Glut,
Ein Leuchten, das uns weiter trägt,
In jeder schweren Flut.

So wandern wir mit Helligkeit,
Die Hoffnung stets im Blick,
Im Dunkel bleibt ein sanftes Licht,
Unser ewiges Geschick.

Flügel des Lichts

Im sanften Glanz der Dämmerung,
Erheben sich die Flügel,
Durch Wolken schwebt ein zartes Lied,
Mit Hoffnung als Spiegel.

Ein Engel fliegt im Morgenton,
Mit Flügeln aus dem Licht,
Er trägt die Wünsche, Sehnsucht fort,
Bis der Tag anbricht.

Durch Himmel weht der sanfte Wind,
Ein Hauch von Seligkeit,
Im Herzen bleibt die Zuversicht,
Ein Stern der Ewigkeit.

Die Schatten weichen, weicht die Nacht,
Ein Strahl die Welt durchdringt,
Er offenbart, was Liebe säht,
Ein Neuanfang beginnt.

So fliegen wir auf Flügeln leicht,
Des Lichts in die Unendlichkeit,
Getragen durch die Dunkelheit,
In friedlicher Zweisamkeit.

Erblickter Morgen

Ein neuer Tag, der jetzt beginnt,
Die Dunkelheit verweht,
Die Sonne überm Horizont,
Ein neues Licht entsteht.

Im Tau, der sachte glitzert,
Erwacht das stille Feld,
Die Vögel singen Lieder,
Die Hoffnung neu erhellt.

Ein Lächeln ziert dein Antlitz,
Das Herz voll leuchtend Glück,
Der Morgen hat so vieles,
An Zauber mit zurück.

Im Rauschen der Aurora,
Da tanzt die Welt im Licht,
Der Tag ist nun willkommen,
Die Nacht, sie geht, erlischt.

Die Blumen recken Köpfe,
Zum Himmel weit hinauf,
Ein neuer Tag beginnt jetzt,
Nimmt seinen ew'gen Lauf.

Fackel der Zuversicht

Ein Licht in finstrer Stunde,
Ein Strahl aus ferner Nacht,
Ein Funke voller Hoffnung,
Der Zuversicht entfacht.

Durch Stürme unerschütterlich,
Die Fackel hoch und klar,
Sie zeigt uns neuen Wegen,
Ein Morgen wunderbar.

Im Herzen trägt sie Wahrheit,
Und Stärke, fest und rein,
Sie leuchtet uns beständig,
Durch dunkle Nacht allein.

Kein Schatten kann bezwingen,
Das Leuchten ihrer Macht,
Das Herz, es spürt die Wärme,
Die Zuversicht bewacht.

So tragen wir die Fackel,
Ins Dunkel, stolz und frei,
Sie zeigt uns Licht und Wege,
Die Hoffnung stets dabei.

Versiegelte Sonnenstrahlen

Ein Strahl durch goldne Wolken,
Ein Band aus warmem Licht,
Im Herzen sanft versiegelt,
Vergisst man es doch nicht.

Die Strahlen tragen Grüße,
Von einer fernen Zeit,
Wo Träume Wirklichkeit sind,
In ihrem Glanz erneut.

Versiegelt in den Stunden,
Die still durch Leben gehen,
Ein Licht in jedem Herzen,
Lässt niemals uns vergehen.

Die Sonnenstrahlen singen,
Ein leises, frohes Lied,
Von Hoffnung und von Liebe,
Dass stets im Herzen glüht.

Und wenn die Nacht erwacht wird,
Erleuchtet sie den Pfad,
Versiegelte Momente,
In unsren Herzen zart.

Goldene Horizonte

Wenn erste Sonnenstrahlen,
Den weiten Himmel zieh'n,
Ein neues Morgenrot,
Die Grenzen überflieh'n.

Die Horizonte blinken,
In güldnem Schein erwacht,
Ein Tag voll neuer Träume,
Die Nacht in Licht gebracht.

Das Meer in sanften Farben,
So friedlich, tief und weit,
Ein Spiegelbild der Hoffnung,
In heller Ewigkeit.

Die Felder, Wiesen leuchten,
Im Schleier sanfter Glanz,
Der Horizont aus Gold,
Ein endlos langer Tanz.

Und wenn die Sonne sinket,
Am Abendhimmel sacht,
Die goldnen Horizonte,
In Träumen neu entfacht.

Zarte Sonnenlächeln

Ein sanftes Strahlen, so rein und klar,
Zieht über Felder, nah und fern,
Malt warme Schatten, wunderbar,
Verzaubert still den Morgenschwarm.

In jedem Tropfen Morgentau,
Spiegelt sich ein Sonnenstrahl,
Umhüllt die Welt in warmem Blau,
Das Herz fühlt sich so leicht und schmal.

Wo Blumen blühen, zart und bunt,
Fliegt leise Wind mit leichtem Gang,
Die Luft erfüllt mit süßem Duft,
Ein Tag erwacht im frischen Klang.

Verborgene Träume leuchten hell,
In diesem Licht, so voller Glück,
Die Seele schwingt im sanften Well,
Kehrt für Sekunden in sich zurück.

Hoffnungsfunken

Ein Funken Glanz im Dunkelmeer,
Erhebt die Seele, gibt den Mut,
Zeigt, dass das Leben ist viel mehr,
Als alle Kümmernis und Not.

Ein Lächeln, das die Freundschaft schenkt,
Durchdringt die tiefste Einsamkeit,
Ein Lichtstrahl, der das Herz ertränkt,
In wärmender Geborgenheit.

Hoffnung blüht in stiller Nacht,
Wo alles Trübe bald entweicht,
Ein Stern, der durch die Himmel wacht,
Erzählt von Liebe leicht und weich.

Mit jedem Schritt ins Ungewisse,
Erwacht ein neuer, bunter Traum,
Und mitten in dem Herzgetümmel,
Erstrahlt die Zukunft voller Raum.

Erhellte Wege

Die Schritte leise durch die Nacht,
Geführt von einem sanften Licht,
Das Herz erwacht, der Tag entfacht,
Verzaubert ist der Augenblick.

Inmitten nebelgrauer Zeit,
Formt sich ein Pfad aus hellem Glanz,
Die Dunkelheit wird still und weit,
Die Seele wiegt im Hoffnungstanz.

Wo Schatten welken, dunkel, schwer,
Eröffnet sich ein weiter Pfad,
Mit jedem Schritt strahlt Licht umher,
Das Herz wird frei und unverzagt.

Vom Morgenrot erhellt, belebt,
Erblüh'n die Träume, weit und frei,
Ein neuer Tag, der Hoffnung webt,
In sanfter, bunter Poesie.

Sonnenstrahlen im Herzen

Ein Morgenlicht im Herzen keimt,
Erwacht und strahlt so hell und klar,
Ein Funken, der die Seele wärmt,
Und Glück erblühen lässt, ganz nah.

Die Sonnenstrahlen, zart und mild,
Durchdringen jedes dunkle Tal,
Ein warmer Gruß, der Frieden stillt,
Und heilt das Leid, so wunderbar.

In jedem Lächeln, jedem Blick,
Erstrahlt ein Hauch von Sonnenpracht,
Verwandelt Kummer, Stück für Stück,
In Freude, Liebe, sanfte Macht.

Durch Herzen zieht der helle Schein,
Verbinden sich in Harmonie,
Ein Licht, das endlos wird gedeih'n,
Und Hoffnung sprüht in Symphonie.

Flammende Euphorie

Im Herz brennt ein Feuer,
leuchtend und klar,
wie eine helle Flamme,
Tag um Tag wunderbar.

Durch die Nacht getragen,
in strahlendem Schein,
schürt sie die Glut,
bleibt niemals allein.

Jeder Funke entfacht,
ein neuer Traum,
in flammender Euphorie,
wie im ewigen Raum.

Mit Leidenschaft und Mut,
verliere ich mich,
als gäbe es kein Ende,
in diesem wilden Licht.

Alles lodert hell,
in glühender Pracht,
führt mich weit hinaus,
hinaus in die Nacht.

Morgenröte

Am Horizont, ein Licht,
verhüllt der Dunkelheit,
im sanften Dämmer,
schwindet die Zeit.

Ein neuer Tag erwacht,
mit zartem Glanz,
die Farben des Morgens,
erfüllt im Tanz.

Die Stunde, sie ruft,
mit stillem Drang,
ein Hauch von Frieden,
liegt ihr Klang.

Erste Strahlen brechen,
durchs Nebelfeld,
die Morgenröte funkelt,
in dieser Welt.

Mit Hoffnung beladen,
schreitet der Tag,
in einer Symphonie,
die ich so mag.

Lichtgestalten

Im Dunkel verborgen,
leuchten sie sacht,
Lichtgestalten erscheinen,
in sternenklarer Nacht.

Wie Schatten der Träume,
schweben sie hier,
geben uns Hoffnung,
flüstern ins Ohr.

Zart und doch stark,
ein stilles Geleit,
in Momenten des Zweifels,
schenken sie Zeit.

Ihren Glanz zu spüren,
ist wie ein Schwur,
in ihrer Nähe,
sind wir pur.

Flüsternd und weise,
erleuchten sie Bahn,
unsere Herzen führend,
bis zum neuen Morgen an.

Funkelnde Aussichten

Wenn die Sterne funkeln,
in nächtlicher Ruh,
öffnen sich Welten,
für mich und für du.

Jede Hoffnung glitzert,
leicht und so hehr,
führen uns vorwärts,
zu unbekanntem Meer.

Die Zukunft erstrahlt,
in hellem Licht,
joch die Aussichten,
versperren sie nicht.

Mit jedem kleinen Glanz,
der Funken erhebt,
wächst unser Trauen,
denn das Leben bebt.

Halt' deine Träume fest,
im Sternenschein,
denn funkeln sie leise,
sind wir nie allein.

Keime der Freude

In der Stille keimt das Glück,
wie Blumen aus dem Grund,
ganz sanft in einem Augenblick,
wird die Seele reich und bunt.

Tropfen von des Morgens Tau,
erwecken zartes Leben,
all die Farben wunderbar,
sind Funken, die uns erheben.

Über Wiesen weht ein Wind,
die Freude traurig sucht,
ein ins Herz gesprochenes Lied,
das den Kummer überbrückt.

Freude ist ein zarter Keim,
der Sonnenlicht ersehnt,
in uns wächst sie klar und rein,
des Lebens Lied ertönt.

Im Innern, tief und leise,
erstrahlt das helle Licht,
das Herz trägt seine Reise,
die Freude bringt es dicht.

Morgenschimmer

Im Morgenlicht erwacht,
das Land im goldenen Glanz,
die Dämmerung ist sacht,
des Himmels sanfter Tanz.

Ein Schimmer über'm Wald,
erweckt die stille Nacht,
berührt des Lebens Halt,
und Freiheit neu entfacht.

Die Sonne steigt empor,
verjagt des Dunkels Macht,
und wiegt das Land im Chor,
der neuen Tages Pracht.

Ein neuer Tag beginnt,
mit Hoffnung voll und rein,
ein Lied im Herzen klingt,
das uns vereint soll sein.

Im Morgenschimmer klar,
zerrinnt die Nachtgewalt,
und alles wird so wahr,
des Lebens Freude bald.

Sonniger Aufbruch

Im Licht des neuen Tages,
beginnen wir zu gehen,
ein warmes Herz, das fragend,
neue Wege will verstehen.

Die Sonne lacht am Himmel,
verjagt die dunklen Schatten,
mit einem frohen Schimmer,
wird alles neu ermatten.

Ein Aufbruch voller Wunder,
führt uns ins Land hinein,
das Herz schlägt stets darunter,
dein Lächeln sanft und fein.

Auf blühenden Auen laufen,
wo Sonne golden glänzt,
wird neuer Mut uns saufen,
von dem, was uns umgrenzt.

Sonniger Aufbruch, helle,
zerschmilzt die Eis und Pein,
im Licht, der heil'gen Welle,
wird jeder Traum gedeih'n.

Erwachende Träume

Im schläfrigen Dämmern,
liegt des Traumes Macht,
doch still und unermüdlich,
naht die Lebensnacht.

Was tief in uns verborgen,
zum Leben sich erhebt,
die Träume, die wir hegen,
denn ewig in uns webt.

Ein Kind mit großen Augen,
sieht Sterne hoch und fern,
im Herzen tief erglimmen,
Träume – zärtlich und gern.

Die Nacht nimmt ihren Schleier,
die Träume bleiben wach,
sie blühen auf wie Feuer,
im stillen Sternenhauch.

Erwachende Träume leihen,
uns Flügel, stark und weich,
sie tragen uns auf Reisen,
in Welten zart und reich.

Strahlende Horizonte

Am Horizont das Licht, das strahlt,
Ein neuer Tag erwacht in Pracht.
Die Schatten fliehen, alles malt,
Ein Bild in leuchtend goldner Nacht.

Der Himmel klar, das Herz erwärmt,
Die Ferne ruft, die Reise klappt.
Durch Täler, Berge, unerschwert,
Die Hoffnung auf den Tag der Lab.

Das Morgenrot, es glimmt so hell,
Mit jedem Schritt die Freude wächst.
In fernen Landen wunderbar,
Den Horizont im Aug' entdeckst.

Was vorne liegt, ist noch verhüllt,
Ein Schleier nur, den man durchbricht.
Doch sicher ist, dass jedes Bild,
Ein neues Ziel im Herzen spricht.

Bewahre dir den Blick, so klar,
Der Horizont, er bleibt uns nah.
Mit jedem Tag, ein neues Jahr,
Ein leuchtend Licht, so wunderbar.

Im Licht gebadet

In goldenem Lichte badet sich,
Die Welt, wenn Sonnenstrahlen singen.
Ein Wunderwerk der Schöpfung sieht,
Der Mensch, von neuem Tag empfingen.

Die Wiesen glitzern, Tau benetzt,
Ein Teppich aus, von Licht durchwebt.
Das Leben pulst, erwacht zuletzt,
In jedem Keim, der Hoffnung lebt.

Die Bäume rauschen sanft im Wind,
Ein Flüstern in des Tages Schoß.
Im hellen Glanz, ein Vöglein singt,
Ein Gruß vom Himmel, leis und groß.

Im Sonnenstrahl, die Seele schwebt,
Inmitten Licht, so sanft und rein.
Das Herz davon im Takt erbebt,
Will ewiglich im Lichte sein.

Zu jeder Zeit, die Liebe glüht,
Ein Funken nur, im Lichte lebt.
Die Welt von Helligkeit durchblüht,
Im Strahlenmeer, die Hoffnung webt.

Sonnenfinsternis überwunden

Die Dunkelheit, sie war so tief,
Ein Schatten legte sich aufs Land.
Doch Hoffnung war, die Herzen rief,
Ein neuer Tag kommt froh entsandt.

Als Finsternis das Licht verwehrt,
Und Kälte brachte in die Nacht.
Wurden Träume dennoch mehr,
Vom Sonnenschein, der Herzen macht.

Die Tage zogen schleppend hin,
Doch Hoffnung keimte fort und fort.
Bis eines Morgens klar erschien,
Die Sonne hell an ihrem Ort.

Das Licht kehrt heim, vertreibt die Nacht,
Und Wärme füllt den Raum im Nu.
Die Liebe hat es wahr gemacht,
Ein neues Leben blüht erblüht.

Die Sonnenfinsternis bezwungen,
Ein zarter Strahl, ein Anfang neu.
Die Dunkelheit ward überwunden,
Die Welt, sie singt erneut vor Freud.

Strahlen der Inspiration

Wenn Sonnenstrahlen zittern leicht,
Durch dünne Wolkenschleier mild.
Dann öffnet sich, was tief verborgen,
Ein Schimmer, der den Geist erfüllt.

Die Farben tanzen sanft im Licht,
Ein Regenbogen, bunt und schön.
In jedem Strahl, ein neues Bild,
Das wir in unsrem Herzen seh'n.

Die Wege die, noch niemand sah,
Erscheinen klar im ersten Strahl.
Ein neues Denken, wunderbar,
Enthüllt sich uns, in Licht gemal.

Die Grenzenlosigkeit der Welt,
Gespiegelt in des Lichts Idee.
Ein Funke klein, doch davonhält,
Die Flamme groß, die wir versteh.

Erhebe dich im Sonnenschein,
Lass Inspiration dein Führer sein.
In jedem Strahl, ein Bild so rein,
Das Licht gibt jedem neuen Sinn.

Blinkender Horizont

Im Nebel, der die Stirne küsst,
Wo Träume sich verbergen,
Ein Lichtstrahl durch das Grau sich bricht,
Die Ferne lässt sich bergen.

Schatten spielen auf den Wellen,
Ein Flüstern in den Bäumen,
Das Meer, es will Geschichten bellen,
In stillen Nachtenträumen.

Das Flimmern weckt die Fantasie,
Mit Bildern, die verbleichen,
Der Horizont, so klar und frei,
Als könnte er uns reichen.

Und Sternenstaub umsäumt die See,
Die Winde, sie verweilen,
Ein Mysterium im Morgengrau,
Wo Traum und Wirklichkeit teilen.

In jeder Woge, die da bricht,
Liegt Hoffnung, die nie endet,
Der Horizont, er funkelt sacht,
Den neuen Tag er sendet.

Glitzernde Visionen

In Nächten, die der Mond erhellt,
Wo Sterne sanft erblühen,
Da träum ich von der fernen Welt,
Wo Magie in Schatten glühen.

Der Wind, er flüstert mir ein Wort,
Von Zeiten, die verglühen,
Es malt im Geist ein helles Bild,
Glitzernd im Verblühen.

Ein Paradies aus Licht und Klang,
Verlockend süßes Streben,
Die Seele tanzt den alten Sang,
Träumend sich zum Leben.

Wo Funkeln sich im Dunkel bricht,
Ein Strom aus reinen Farben,
Ein Spiel, das tief im Herzen spricht,
Das Traumbilder umarmen.

In jedem Stern, der in der Nacht,
Vergleitet und vergeht,
Hält sich ein Glanz, der ewig lacht,
Der stets in uns besteht.

Tanzende Sonnenstrahlen

In Morgentau, so leicht und klar,
Da tanzt des Lichtes Huld,
Die Sonnenstrahlen, wunderbar,
Umarmen sanft die Huld.

Die Zweige wiegen sacht im Wind,
Der Tag erwacht in Reinheit,
Ein Spiel aus Licht und Schatten sind,
Des Morgens Zärtlichkeiten.

Die Wellen glitzern, frühes Licht,
Ein Strahlen, das verblendet,
Ein Tanz beginnt, der Sorgen bricht,
Der Alltag sich verendet.

Von Blütenstaub und Honigtau,
Ein Duft liegt in der Stille,
Die Sonnenstrahlen, hell und rau,
Erwecken jede Rille.

In ihrem Tanz, so frei und leicht,
Singt leise das Verlangen,
Die Sonnenstrahlen, hingereicht,
Im Herz Einzug erlangen.

Erwachen des Morgens

Die Dämmerung verzieht ihr Kleid,
Mit sanften, leisen Schritten,
Der Morgenstrahl, er weist sich breit,
In weichen, stillen Mitten.

Ein Hauch von Frische, Tau benetzt,
Die Erde neu geboren,
Der Himmel farbenreich vernetzt,
Ein Fest hat sich erkoren.

Das Zwitschern naht aus jedem Strauch,
Erschallt in stiller Weite,
Der neue Tag beginnt, ein Hauch,
Von Hoffnung und von Freude.

Das Licht bricht sich in jedem Tropf,
Ein Diamant im Grünen,
Die Welt, sie atmet weich und oft,
Im Strahlen, sich erkühnen.

Ein neuer Anfang, Licht durchflutet,
Erwacht aus dunklen Gassen,
Der Morgen, der das Sein behütet,
Lässt Glück und Frieden fassen.

Glitzernde Träume

In der Nacht, so klar und kühl,
träumt die Seele, tanzt gefühl.
Für einen Moment, still und sacht,
Glitzerlicht in der Samtnacht.

Funkeln streift durch hohen Hain,
Gedanken frei, wie Vögel rein.
Herz an Herz und Hand in Hand,
träumen wir im schimmernden Land.

Sterne flüstern Sorgen fort,
zeigen uns den heil'gen Ort.
Durch das Dunkel, hell und rein,
führt uns der glitzernde Schein.

Wogen schlagen, fern und nah,
träume dir, was einmal war.
In des Himmels weitem Raum,
wandern wir im Traumesaum.

Auf den Pfaden, leise sacht,
trägt uns hin das Glitzerlicht.
Nur ein Schimmer, zart und fein,
in der Nacht der Traum allein.

Himmelsleuchten

Gold'ne Strahlen, zart und rein,
leuchten durch, den Himmelschein.
Für ein Herz, das ruhig wacht,
zieht der Mond durch die Nacht.

Lichter fliegen, weit entflohn,
tragen Hoffnung, weich und schon.
In dem Glanz, so wunderbar,
fliegt der Traum, der Liebe war.

Sterne funkeln, tanzen sacht,
wecken Träume in der Nacht.
Zwischen Himmel, wint und weit,
huscht der Engel sanftes Kleid.

Durch die Wolken, leuchtend klar,
findet Sehnsucht, was einst war.
Himmelsleuchten, sanft und hehr,
erfüllt die Herzen immer mehr.

Rein und hell, der Sterne Licht,
führt die Seele sanft zur Sicht.
Jedem Traum ein neues Leucht,
Himmelsstrahlen still bezeugt.

Scheine des Glücks

In des Morgens gold'nen Strahlen,
findet Herz, was wir erstrahlen.
Jeder Tag ein warmer Kuss,
Scheine des Glücks, ein frischer Fluss.

Sanfte Hände, Herz an Herz,
tragen weit den Lebensschmerz.
Jeder Augenblick so hell,
zeigt uns Glück in reinem Quell.

Lachen klingt durch grüne Flur,
Hoffnung keimt in tiefer Spur.
Mit dem Sonnenschein erwacht,
jedes Glück, das heiter lacht.

Traumt vielleicht, was uns gefiel,
findet sich im Lebensspiel.
Scheine fangen jeden Tag,
Mühsal weicht dem Glücksbehag.

In des Abends sanften Glanz,
finden Herzen neuen Tanz.
Scheine des Glücks, so hell und klar,
leuchten uns des Lebens Jahr.

Lichtspuren

Zwischen Morgen, zart und mild,
geht das Licht, das uns erfüllt.
Sanft erhellt es jede Spur,
wandert hin durch Zeit und Flur.

Durch die Wipfel, weht ein Schein,
trägt uns fort im gold'nen Reim.
Schatten weichen, Dunkel bricht,
führt uns hin zum reinen Licht.

Erster Strahl, so weich und klar,
zeigt uns, was das Leben war.
In den Farben, bunt und rein,
zeichnen sich des Lebens Leim.

Abend kommt mit sanftem Schein,
hüllt die Welt in Goldpapier.
Jede Nacht ein neuer Tanz,
trägt uns hin zur Wolken Flansch.

Lichtspuren, die ewig wallen,
zeigen uns das Leben prallen.
In dem Leuchten, mild und fein,
finden wir den Seelenschein.

Glanzpunkte im Alltag

Ein Lächeln im Gesicht,
so leise wie ein Traum,
es leuchtet hell und licht,
in jedem Raum.

Ein Wort von Herzen tief,
so klar und schön,
es spendet Trost und rief,
Gefühle wie ein Föhn.

Ein Funke voller Mut,
so stark und klar,
er wärmt das Herz, tut gut,
bringt Hoffnung, gar wunderbar.

Ein Blick, so sanft und rein,
wie Morgentau im Licht,
führt durch den Alltag ein,
zu einem besseren Sicht.

Ein Tag, so sanft und ruhig,
mit Liebe ausgefüllt,
das Leben schmeckt so sündig,
wenn Freude in uns brüllt.

Sonniger Pfad

Ein Weg ins weite Land,
so golden, sonnig hell,
ein Pfad, vom Glück gesandt,
das Herz erzählt so schnell.

Die Sonne strahlt so klar,
auf jedem Schritt und Tritt,
wärmt die Seele wunderbar,
begleitet uns im Ritt.

Wolken ziehen hoch hinaus,
verweilen nicht so lang,
umhängen wie ein Haus,
der Himmel singt ein Sang.

Wiesen blühen bunt und schön,
freudig tanzt der Hauch,
im Lichte will vergeh'n,
des Pfades heller Rauch.

Ein Weg, mit Licht durchzogen,
der Zukunft stets geweiht,
die Sonne stets gewogen,
führ durch die Ewigkeit.

Leuchtende Augenblicke

Ein Blick, so voller Glanz,
verzaubert Mann und Land,
erhellt wie strahlend Kranz,
die Welt in unsrer Hand.

Ein Lächeln, tief und klar,
so kostbar und so dicht,
zündet wie ein Sternenschar,
in kaltem Nebellicht.

Ein Augenblick, so rein,
durchzuckt des Herzens Schlag,
zeigt, was einst war mein,
im dunklen Tagestrag.

Ein Funke, warm und klar,
entzündet Seelenbrand,
trägt uns weit und nah,
durch des Lebens Band.

In jedem kleinen Glanz,
da wohnt ein großes Licht,
führt uns durch den Tanz,
bis das Herz voll spricht.

Klarheit im Nebel

Der Nebel dicht und schwer,
zieht über Land und Flut,
verhüllend überall und mehr,
wo Kälte Wache tut.

Doch Licht bricht durch das Grau,
erhellt des Nebels Spiel,
zeigt Wege, klar und schlau,
in jedem starken Stil.

Ein Funke voller Klarheit,
zündend in der Nacht,
birgt Frieden und auch Wahrheit,
und hält uns sanft bewacht.

Die Nebelschwaden weichen,
vom Glanz geführt und hell,
enthüllen Land und Zeichen,
mit samt dem Tagesschell.

Ein Pfad wird vor uns frei,
führt aus dem trüben Hain,
begleitet Licht herbei,
um uns des Wegs erfreu'n.

Funken der Inspiration

In der Dunkelheit der Nacht,
finden sich leise Träume,
Flammen werden entfacht,
in den geweihten Räume.

Gedanken tanzen frei,
im Reigen ohne Schranken,
wie Sterne weiß und neu,
die Seele still bedankt.

Flüsternd aus der Zeit,
erwachen sie in Reihen,
tragen Glück und Leid
zu den ewig keimenden Zweien.

Ein Funken nur sei klar,
in Augen jener Welt,
wo Träume sind so rar,
und doch so lange hält.

Die Inspiration brennt,
sanft in unserem Geist,
ein Leuchten, das nicht trennt,
von dem, was hält und reißt.

Erstrahlte Seele

Durch dichte Nebelschwaden,
führt ein Licht so rein,
Herzen, die es wagen,
erstrahlen im Sonnenschein.

Ein Funke tief im Herz,
Geburt von Himmels Glanz,
durchdringt des Lebens Schmerz,
befreit im stillen Tanz.

Die Zeit hat keinen Halt,
wenn Seelen Flügel schlagen,
über Meere, durch den Wald,
ewig ohne Fragen.

Die Liebe ist erwacht,
im Glanz der Zweisamkeit,
gedulde dich bei Nacht,
bald ist das Tor bereit.

Den Augenblick genieß,
voller Wärme, voller Glück,
die Seele, die er hieß,
kehrt stets zu dir zurück.

Leuchten der Gedanken

In den Welten der Ideen,
herrschen Farben und Klang,
Gedanken, die entstehen,
erhellen sanften Gang.

Durch Träume weben Licht,
ein Mosaik aus Zeit,
führen hin zum Angesicht,
in liebevoller Geleit.

Flüsternde Weisheit spricht,
wie ein Stern am Firmament,
macht aus Dunkel Licht,
ein ewig stetig Moment.

Glanz in tiefen Augen,
Träume, die verzeihen,
fantastisch sie uns taugen,
ins endlose Sein.

Blicke weit hinaus,
im Geiste, unverwandt,
Gedanken, wie ein Schmaus,
in ewig leuchtend Land.

Schillernder Neubeginn

Der Morgen bricht hervor,
mit einem leisen Gruß,
neue Wege stehen vor,
die Hoffnung macht uns Schluss.

Im Tau des neuen Lebens,
erblüht das alte Leid,
der Aufbruch, niemals vergebens,
in schillernder Herrlichkeit.

Schritte führen sanft hinaus,
in eine Zeit voll Licht,
ein neues, starkes Haus,
das altes Schweigen bricht.

In Farben schillernd bunt,
die Weite uns empfängt,
unendlicher, tiefer Grund,
der Neubeginn befängt.

Lass los und greif das Glück,
das leuchtet, sanft und rein,
nimm es mit zurück,
es wird für ewig dein.

Licht im Schatten

Im Dunkel wächst ein leises Licht,
versteckt es sich vor Augenblick,
Blumen blühen im Schattenreich,
und leuchten dort im Kämmerlein.

Die Stille flüstert zarte Töne,
sein Glanz durchbricht die grauen Wände,
Ein Stern der Hoffnung, fern und fein,
in Herzen strahlt er sanft hinein.

Gedanken malen bunte Bilder,
Glühwürmchen fliegen durch die Nacht,
Ein Strahl, der in der Ferne liegt,
erhellt, woran kein Mensch mehr glaubt.

Im Tanz der Schatten um das Feuer,
leuchtet das Leben ganz vertraut,
Die Seele findet ihren Frieden,
wo Dunkelheit und Licht sich küssen.

Für jeden, der die Liebe sucht,
erwacht ein Funke aus dem Grau,
Ein Licht, im tiefsten Dunkel keimt,
schenkt Mut und neues Lebenstraum.

Leuchtendes Sein

Im Herzen brennt ein ew'ges Feuer,
sei'ne Wärme spendet Trost und Kraft,
Ein Licht, das niemals müd' verblasst,
strahlt hell in jeder Lebenslage.

Durch Stürme trägst du Stolz im Licht,
der Weg, er leuchtet klar und rein,
Ein Leuchtturm in dem tiefen Meer,
soll Leben dir und Hoffnung bringen.

Ein Funkenflug in dunkler Nacht,
der Zeit die Angeln aus den Fugen,
Ein Seelenschrei, der still ertönt,
erhellt das Dasein unermüdlich.

Vom Morgen bis zum Abendrot,
seid du des Seins Lichtstrahlen treu,
Mit jedem Tag ein neues Band,
das leuchtend zieht durch Raum und Zeit.

Im Glanz der gold'nen Sternennacht,
versiegen Kummer, Angst und Pein,
Das leuchtend Sein, es schenkt uns Ruh,
im ew'gen Kreislauf, Licht entflieh.

Strahlende Tage

Ein Morgenlicht, so wunderschön,
verkündet Tage, hell und klar,
Ein Glanz erfüllt die weite Welt,
und jeder Tropfen funkelt hell.

Im Sonnenstrahl, der sacht erwacht,
herrscht Frieden über Feld und Flur,
Das Himmelszelt, so tief und klar,
ein Tag voll Licht und Leben war.

Ein Lachen in der Sommersonne,
so warm, es füllt die Herzen aus,
Ein frohes Lied im Himmelsbogen,
hallt wider in des Tages Lauf.

Im gold'nen Glanz des Mittagslichts,
umringt von Blumen, Duft und Bunt,
Erblüht das Leben voller Freude,
ein Tag, der Strahlen mit sich bringt.

Die Abendröte zart und leise,
verrät uns, dass die Nacht erwacht,
Doch in den Herzen bleibt die Wärme,
von einem Tag, der strahlend lacht.

Gleißende Momente

In einem Augenblick voll Glanz,
erstrahlt die Welt in hellem Schein,
Momente, die das Herz durchfluten,
sind gleißend schön und wunderbar.

Ein Lächeln, das wie Sternenglanz,
die dunkle Nacht zum Tag erhebt,
Ein Wispern leiser Liebesworte,
die Seele wie ein Lichtstrom webt.

Ein Blick, der tausend Farben trägt,
verbindet Zeit und Raum im Nu,
Momente wie ein helles Feuer,
verbrennen Angst und bringen Ruh.

Ein Funke, der im Herzen glimmt,
entzündet Flammen voller Kraft,
Momente, die uns stark berühren,
sind pures Licht mit großer Macht.

Wenn all der Glanz vergeh'n mag bald,
so bleibt er doch im Herzen drin,
Denn gleißend helle Augenblicke,
verweilen ewig, tief im Sinn.

Leuchtende Pfade

Durch den Wald im stillen Traum,
folgen wir dem Mondenschein,
flüstert leis des Windes Saum,
führt uns sicher, niemals allein.

Im Glanz der Sterne wandern wir,
über Pfade, die erhellt,
spüren Zauber, nah und hier,
fern vom lärmenden, grellen Feld.

Leuchtend zieht der Weg sich fort,
durch ein Meer aus silbernem Licht,
trägt uns hin zu einem Ort,
den die Dunkelheit durchbricht.

Wie ein Lied von ferner Zeit,
erscheint das Ziel uns klar im Blick,
führt uns durch die Ewigkeit,
bis wir finden unser Glück.

In der Stille jener Nacht,
tragen uns die Träume sacht,
leuchtende Pfade sind erwacht,
ein Weg, den keiner je veracht'.

Helle Vorzeichen

Am Horizont ein neuer Tag,
erwacht im Glanz der Morgenröte,
verheißt das Licht, was kommen mag,
und lässt uns hoffen, dass es böte.

Jede Wolke, sanft und rein,
zieht am Himmel, immer zu,
éein Versprechen, klar und fein,
von Frieden und von süßer Ruh.

Die Sonne steigt, ein golden' Scheib,
erhellt das Land in reichem Schein,
wir fühlen uns von Sorge frei,
wo helle Vorzeichen nur sein.

Die Zeichen stehen gut bereit,
führ'n uns hin zum neuen Glück,
durch das Tal und übers Weit,
wo die Sonne hält zurück.

Am Ende findet Licht uns all,
ein Strahl, der jede Nacht vertreibt,
helle Vorzeichen, die wir sahn,
bleiben in des Herzens Bann.

Erleuchteter Weg

Wandern wir dem Morgen zu,
führen uns die Sterne klar,
ein Pfad aus Licht, der nie abruht,
zeigt uns Wege, wunderbar.

Schritt für Schritt im Frieden sein,
spüren wir des Himmels Macht,
ein erleuchtet' Pfad erscheint,
führt uns sicher durch die Nacht.

Goldnes Licht auf unsrem Pfade,
sieht ein jeder klar und rein,
aus den Tiefen, keine Plage,
ein erhellter Weg wird's sein.

Jedes Lächeln, das wir finden,
jede Freude, die wohl bleibt,
ist ein Leuchtturm uns und binden,
ein erleuchteter Pfad uns treibt.

Im Herzen tragen wir dies Licht,
erleuchtet uns der Weg zum Glück,
denn Dunkelheit verliert Gewicht,
wenn der strahlende Pfad uns drückt.

Strahlen der Zuversicht

Tief im Herzen, leuchtet hell,
ein Funke der Zuversicht,
erhellt die Seele, schnell und grell,
verleiht der Hoffnung neues Licht.

Jeder Tag, ein Neubeginn,
in des Lebens strahlend' Licht,
zeigt uns, dass wir niemals blind,
dem Weg der Hoffnung stets verpflichtet.

In den Augen, fern und klar,
spiegelt sich des Himmels Pracht,
Zuversicht, so wunderbar,
zündet Flammen in der Nacht.

Ein Strahl, der unser Herz durchdringt,
führt uns sanft durchs Zeitenmeer,
zeigt uns, wie das Leben bringt,
Freude, die wir stets begehren.

Strahlen der Zuversicht im Ganzen,
führen uns zum höheren Ziel,
wenn wir Hand in Hand volltanzen,
wird die Welt so hell und viel.

Glühwürmchen-Nächte

Im dunklen Wald, wo Sterne funkeln,
Tanzen sie wie kleine Funken,
Glühwürmchen tauchen auf die Nacht,
Bringen mildes, sanftes Licht gebracht.

Zwischen Blättern, im Dämmerlicht,
Strahlt ihr Glühen, zart und schlicht,
Wie ein Märchen, alt und schön,
In diesen Nächten zu sehn.

Leises Flüstern der Bäume klingt,
Ein stilles Lied, das Freude bringt,
Während die Glühwürmchen tanzen fein,
Verzaubern sie das Dasein klein.

Mit jedem Flimmern, zart und klar,
Wirkt die Nacht so wunderbar,
Wie ein Traum in sanfter Pracht,
Erfüllt von Glühwürmchen-Nacht.

Wenn Morgendämmerung dann kehrt ein,
Verblassen ihre Lichterlein,
Doch die Erinnerung bleibt bestehen,
An diese Nächte, voller Sehnen.

Wärme der Sonne

Morgens, wenn der Tag erwacht,
Lacht die Sonne aus der Nacht,
Streut ihre Strahlen weit und breit,
Füllt die Welt mit goldenem Kleid.

Hoch am Himmelszelt sie steht,
Ihr Wesen niemals untergeht,
Mit Glanz und Glut und wärmend Hand,
Küsst sie sanft das ganze Land.

Jeder Strahl ein Heilsam' Akt,
Der uns tiefe Freude nackt,
Wie ein sanfter, warmer Kuss,
Verleiht der Erde süßen Genuss.

Ihre Wärme, wohlig und rein,
Dringt tief in Herz und Seele ein,
Wie ein liebes Mutterherz,
Scheucht sie fort den tiefsten Schmerz.

Am Abend geht sie aus dem Blick,
Doch bleibt die Wärme als Geschick,
Und mit uns zieht durch Raum und Zeit,
Die Sonne und ihr goldenes Kleid.

Helles Erwachen

Der Morgen graut, die Welt erwacht,
Die Nacht gibt auf, zieht leis' geschafft,
In sanftem Glanz, der Morgengesang,
Erfüllt das Herz mit Freude bang.

Des Tages Anfang, so klar und rein,
Lässt neue Hoffnung in uns sein,
Mit jedem Strahl der Sonne zart,
Wachsen Träume, süß und smart.

In der Stille des frühen Lichts,
Verschwinden Schatten, Dunkel nichts,
Die Welt erstrahlt im neuen Glanz,
Erweckt die Seele, reizt den Tanz.

Ein neues Sein, ein heller Pfad,
Liegt vor uns, breit und wunderbar,
Mit Mut und Kraft vorangegeben,
Beginnt der Tag, das neue Leben.

Und so in dieser goldenen Pracht,
Erleben wir das helle Morgenwacht,
Der Tag beginnt, die Welt erwacht,
Geführt von Licht, in voller Macht.

Tanz im Sonnenlicht

Auf einer Wiese, grün und weit,
Tanzen wir in Heiterkeit,
Durch Tal und Hügel, Hand in Hand,
Das Sonnenlicht in unserm Land.

Die Farben blüh'n im hellen Licht,
Ein Schauspiel, das im Herzen spricht,
Mit jedem Schritt, der Freude fein,
Verbunden fühlen wir uns klein.

Im sanften Wind die Blätter rausch'n,
Das Leben willenlos, berausch'n,
Vögel singen ihr heit'res Lied,
Das Glück uns tief ins Herz eingibt.

Gemeinsam schwing'n wir hin und her,
Im Sonnenstrahl ein Paar so sehr,
Die Zeit vergisst uns hier zu halten,
Im Licht lässt sich die Liebe walten.

So tanzen wir in Ewigkeit,
Im Sonnenlicht der Seligkeit,
Verbunden durch die Harmonie,
Die uns besingt in Symphonie.

Morgenglanz

Ein Hauch von Gold im Horizont,
Der Tag erwacht, die Nacht zerrinnt.
Sanftes Licht, das uns belohnt,
Ein neuer Morgen beginnt.

Zwitschernde Vögel in der Früh,
Der Tau noch frisch auf grünen Wiesen.
Ein neuer Tag, so voller Müh,
Mit Hoffnung uns're Herzen gießen.

Die Sonne steigt, der Himmel weitet,
Ein endlos Blau, das Leben malt.
In allen Farben, es uns leitet,
Ein neuer Tag, der uns bestrahlt.

Die Welt erwacht im Lichterglanz,
Ein junger Tag, uns allen eigen.
Mit jedem Strahl, ein neuer Tanz,
Ein Morgen, der will Mut uns zeigen.

Strahlende Momente

Ein Augenblick, so klar und hell,
Er fängt die Welt in reiner Pracht.
Ein Strahlen bricht aus jedem Fell,
Momente, die das Herz entfacht.

Im Spiel der Lichter tanzen wir,
Das Leben zeigt sein schönstes Kleid.
Ein Funke Liebe tief in dir,
Im Licht der Ewigkeit verweilt.

Ein Sonnenstrahl, ein Lächeln zart,
Der Tag erblüht in seinem Schein.
Das Leben reicht uns seine Hand,
So strahlend, schön kann es nur sein.

Der Himmel bricht in Farben aus,
Ein Regenbogen, weit und breit.
Ein Jeder Funkeln ziert das Haus,
Im Strahlenglanz der Ewigkeit.

Hoffnungsfunken

Im Dunkel scheint ein leises Licht,
Ein Hoffnungsfunke, zart und klein.
Er durchbricht die finstre Nacht,
Ein Strahl, ein Funke, unser Sein.

Ein kleines Glimmen, still und sacht,
Es trägt die Hoffnung in die Welt.
Das Herz erstrahlt in neuer Pracht,
Ein Funke, der die Dunkelheit erhellt.

Ein Flammenmeer aus Hoffnungslicht,
Es leuchtet hell und wärmt die Seele.
Ein Funkenflug, der niemals bricht,
Ein Traum, der uns're Herzen quäle.

Der Hoffnung Stern am dunklen Grund,
Erstrahlt in uns, in jedem Raum.
Ein Licht, so klar uns tief verbunden,
Hoffnungsfunken, unser Traum.

Tagesanbruch

Ein leiser Kuss der Morgensonne,
Sie weckt uns sacht aus tiefem Schlaf.
Der Tag beginnt in seiner Wonne,
Mit Licht, das durch die Fenster traf.

Ein neuer Tag in voller Blüte,
Er strahlt, er lebt, er ist erwacht.
Das Leben zeigt uns seine Güte,
Ein Lichtstrahl hat es uns gebracht.

Der Himmel leuchtet rot und klar,
Ein Zeichen, neuer Zeiten Glanz.
Ein Augenblick, so wunderbar,
Der Tag beginnt, der Morgenstanz.

In jedem Strahl ein neuer Traum,
Die Welt erwacht im Licht der Pracht.
Ein Regenbogen über jedem Baum,
Ein neuer Tag, der uns entfacht.

Schimmernde Ausblicke

Die Wellen tanzen im sanften Licht
Gleiten über das Wasser, so klar
Ein Schimmer, der die Nacht durchbricht
Fern erscheint der Morgen, noch wunderbar

Am Horizont ein Hoffnungsschimmer
Der Tag erwacht, die Ruhe weicht
Das Herz erhellt, wie ein heller Flimmer
Ein neuer Beginn, der uns nun erreicht

Sterne verblassen, die Welt erwacht
Die Dunkelheit muss weichen bald
Ein Farbenspiel, das Leben entfacht
Ein neuer Tag, so jung und kalt

Der Himmel öffnet seine Pforten weit
Ein goldener Strahl bricht durch das Grau
Ein zarter Wind, so sanft, so weit
Die Welt erscheint im neuen Tau

In dieser Stille, friedvoll und rein
Für einen Moment bleibt alles still
Der Tag verspricht, uns nah zu sein
Ein neuer Morgen, ein neues Gefühl

Erhellende Gedanken

Wenn die Stille durch die Nacht zieht
Und die Sterne still ihr Licht geben
Dann wird die Dunkelheit besiegt
Von Gedanken, die in Klarheit schweben

Erhellende Worte, leise gedacht
Ein Flüstern im Herzen, tief und wahr
Ein Lichtstrahl, der durch die Seele lacht
In diesen Momenten, wunderbar

Einsame Wege, Gedanken verweilen
Ein Sehnen in der Stille erwacht
Träume fliegen, Gefühle eilen
Ein Licht, das in der Ferne wacht

Hoffnung keimt in dunklen Stunden
Ein Funke, der das Herz entfacht
Verstrickt in Zeit und Raum verbunden
Leuchten Gedanken, hell und sacht

Wenn die Sonne zur Ruhe neigt
Und die Nacht uns sanft umsäumt
Dann wird das Herz von Licht gezeugt
Erhellt von dem, was wir erträumt

Sternenklare Nächte

Sternenklare Nächte, so weit und breit
Der Himmel erstrahlt in funkelndem Glanz
Stille umfängt die wache Zeit
Ein leuchtendes Fest im dunklen Tanz

Jeder Stern, ein fernes Licht
Ein Zeichen der Weite, der Unendlichkeit
Im Dunkel der Nacht, das Herz spricht
Von Träumen, von Sehnsucht, von Zärtlichkeit

Leise flüstert der Wind, erzählt von morgen
Wiegt die Äste der Bäume sacht
Die Sorgen der Welt, in ihnen verborgen
Verlieren sich in der sternigen Pracht

Über dem Land liegt eine Decke aus Glanz
Ein friedlicher Hauch in der Nächte Ruh
Ein stiller Reigen, ein himmlischer Tanz
In den Sternen findet die Seele Zuflucht

Sternenklare Nächte, ein sanftes Erwachen
Ein Strahlen, das tief ins Herz hineinzieht
Die Welt im Dunkel, die Lichter entfachen
Ein Moment der Ewigkeit, der nie verfliegt

Aufgang der Sonne

Der Morgen beginnt, die Dunkelheit zerbricht
Ein goldener Schimmer, der Himmel erwacht
Mit sanfter Hand berührt das Licht
Die Welt, die aus dem Schlummer erwacht

Im Osten brechen die Strahlen hervor
Vertreiben die Nacht, erhellen das Sein
Ein neuer Tag, ein neues Tor
Eröffnet sich im warmen Schein

Die Vögel singen ein Lied, so rein
Begrüßen den Tag mit melodischem Klang
Die Erde atmet im Morgen sein
Ein neuer Beginn, ein heller Gesang

Die Farben tanzen im Morgenwind
Verleihen dem Tag ein leuchtendes Kleid
Ein neues Licht, das alle findet
Ein strahlender Beginn, weit und breit

Der Aufgang der Sonne, ein zarter Kuß
Ein Augenblick voller Poesie
Ein Versprechen, das man glauben muss
Ein neuer Tag, so schön wie nie

Dienst der Sonne

Im Morgenrot, so zart und fein,
Beginnt ihr Werk, beginnt ihr Schein,
Sie weckt den Tag, vertreibt die Nacht,
Im Himmelszelt aus Gold gemacht.

Ihr Strahlenmeer, so warm und klar,
Es schenkt uns Licht, es ist stets da.
Für Mensch und Tier, die ganze Welt,
Das Sonnenlicht uns all erwärmt.

Die Blumen blüh'n im Sonnentanz,
Ein Farbenmeer in voller Glanz,
Die Bäume recken sich empor,
Nach deren Licht, als Himmelschor.

Am Abendrot, im sanften Glühn,
Verabschiedet sie das Tagwerk kühn,
Doch wie sie geht, verspricht sie bald,
Zu kehren mit dem Strahlenwald.

So preisen wir den Dienst der Sonne,
In Freude, Liebe und Wonne,
Ein steter Freund, in Tag und Nacht,
Hat stets das Leben neu entfacht.

Schimmernde Pfade

Durch dunklen Wald, auf schmalem Weg,
Ein Schimmer treibt, was tief sich regt,
Er leitet fort, in Stille rein,
Lässt uns vergessen, was einst war Pein.

Der Mond wirft Silber über nasses Gras,
Ein Märchenweg, wo Sehnsucht saß,
Die Schritte leicht, das Herz so weit,
Ein Pfad der Träume, von Ewigkeit.

Im Funkeln des Sternenhimmels wach,
Führt uns der Weg, durch Nachtgemach,
Die Schritte hallen, leise, zart,
Ein Abenteuer voller Art.

Und wo der Pfad im Morgen endet,
Der Horizont sich neu verkündet,
Ein neuer Tag, ein neues Streben,
Das alte Leid, wir fortgegeben.

Auf schimmernden Pfaden, weit hinaus,
Erblicken wir des Lebens Haus,
Die Wege, die uns weiterführen,
Von neuer Hoffnung stets berühren.

Erneuerter Glanz

Im alten Hain, im tiefen Gründ',
Ein Glanz entstand, der uns entzünd'.
Wo einst Verfall das Lied bestimmt,
Ein neuer Glanz aus Asche klimmt.

Verblühtes Land, nun aufersteht,
Im Sonnenlicht, das niemals geht,
Ein Garten Eden, frisch und klar,
Wo einst die Zeit verloren war.

Das Blattwerk glänzt im Morgentau,
Verkündet Neubeginn genau,
Der Vögel Sang, so süß und rein,
Ein Zeichen, dass wir neu gedeih'n.

Im Laufe dieser hel'gen Zeit,
Findet sich erneut das Kleid,
Des Lebens Faden, so gewoben,
Mit Glanz und Freude stets verwoben.

So feiern wir der Zeiten Lauf,
In Helligkeit des neuen Tauf',
Ein Glanz, erneuert und gefreit,
Führt uns in die Unendlichkeit.

Heitere Zeiten

Im Dorf ertönt ein frohes Lied,
Wo Freundschaft und die Freude blüht,
Die Herzen leicht, die Stimmen klar,
Gemeinsam singen, immerdar.

Die Kinder tanzen im Bogenlicht,
Ihr Lachen süß wie Frühe Duft,
Die Welt, sie scheint so voller Glanz,
Im Reigen, Freude, Sonnentanz.

Der Markt, erfüllt von frohem Schall,
Ein bunter Traum in Sonnenfall,
Die Menschen plaudern Hand in Hand,
Ein starkes, heit'res Lebensband.

Die Zeit verweilt, ein jeder Tag,
Erlebt, genossen ohne Frag,
Die Stunden fliegen, doch sie bleiben,
Ein Glück, das nichts kann unterscheiden.

Und wenn der Abend leise naht,
Ein sanfter Stern den Himmel malt,
Erzählen wir von jenen Zeiten,
Von Heiterkeit, die uns begleitet.

Leuchtfeuer der Hoffnung

Durch dunkle Nächte zieht ein Licht,
Ein Stern, der unsere Wege bricht.
In ferner Ferne glimmt er sacht,
Hält uns sicher durch die Nacht.

Erzählt von Zeiten, die noch kommen,
Von Hoffnung, die nie ganz verschwommen.
Ein Leuchtfeuer, das Wege zeigt,
Wenn alles in der Dunkelheit schweigt.

Mit jedem Schritt wird es klarer,
Die Hoffnung, unser bester Narr.
Zeigt uns Pfade, neu und weit,
Inmitten von Kummer und Leid.

Ein Flackern, das durch Wolken bricht,
Ein sanftes, warmes, tröstend Licht.
Die Sterne tanzen, flüstern leis,
Von Hoffnung, die uns niemals verließ.

So gehen wir weiter, Hand in Hand,
Finden Trost im Licht am Rand.
Ein Leuchtfeuer, so stark und klar,
Hält uns fest, Jahr um Jahr.

Sonnenreflexe

Der Morgen bricht mit goldenem Glanz,
Der Tag erwacht im Sonnentanz.
Ein Lächeln auf der Blüten Pracht,
Der Himmel strahlt mit aller Macht.

In Wellen tanzt das Licht umher,
Erzählt Geschichten, leise und fair.
Ein Funkeln auf dem Wasser klar,
Verzaubert uns, egal wie's war.

Die warmen Strahlen kitzeln sanft,
Erwecken Träume, zart und ant.
Sonnenreflexe funkeln bunt,
Die Wunden ihrer Wärme kund.

Ein Zauber, den die Sonne webt,
Das Herz in hellem Glanz erhebt.
Mit jedem Strahl ein Stück Magie,
Verwandeln Grau in Poesie.

So gehen wir, im Sonnenschein,
Die Welt erscheint uns klar und rein.
In jedem Glanz ein stilles Glück,
Sonnenreflexe Stück für Stück.

Lichtiger Tag

Ein neuer Tag in Licht gehüllt,
Die Wolken, sanft und warm umspült.
Ein Hauch von Hoffnung, golden klar,
Ein Tag, so strahlend, wunderbar.

Die Vögel singen, froh und leicht,
Ein Klingen, das das Herz erreicht.
In jedem Strahl ein helles Band,
Erfüllt uns mit der Sonne Hand.

Die Blumen blühen, bunt und frei,
Im Licht der Morgenröte neu.
Ein Glanz, der uns den Weg erhellt,
Uns führt, wohin das Glück uns stellt.

Doch bald beginnt der Abend schon,
Die Schatten streifen sanft davon.
Ein Lichtiger Tag, der uns begleit,
Verklärt in sanfter Zärtlichkeit.

Mit jedem Strahle, Schimmer fein,
Lässt Licht den Tag im Herzen sein.
Ein Geschenk, das jeden Morgen bringt,
Sich in die Seele sanft verflicht.

Helle Flügel

In stummen Nächten, klar und rein,
Tragen uns die Flügel heim.
Durch Himmel voller Sternenlicht,
Durch Träume, die das Herz verspricht.

Sie schweben sacht, in sanftem Glanz,
Erleuchten uns im Schatten-Tanz.
Ein Paar von Flügeln, leicht und frei,
Bringen Frieden uns herbei.

In dunklen Stunden, schwer und bang,
Sind sie es, die uns Hoffnung sang.
Mit Flügelschlägen, stark und klar,
Trägt uns Licht vom Traume nah.

Ein Engel, der uns leise führt,
Mit hellem Licht und Sanftmut rührt.
Er schenkt uns Flügel, leicht und rein,
Um freier noch im Geist zu sein.

Helle Flügel, stark und still,
Tragen uns, wohin wir will.
Durch Nacht und Dunkelheit uns lenkt,
Ein Licht, das steten Frieden schenkt.

Strahlen der Freiheit

Ein Morgen erwacht, so klar und rein,
Strahlen der Freiheit, die Herzen verzeih'n.
Grenzenlos fliegen, wie Vögel im Wind,
Die Seele so leicht, wie Träume sind.

Der Himmel so weit, das Herz voller Glut,
Entfesselte Sehnsucht, die alles tut.
Schritt für Schritt, dem Leben entgegen,
Auf Pfaden der Freiheit, das Glück zu pflegen.

Ein Lied in der Brust, so zart und fein,
Strahlen der Freiheit, ein ewiger Schein.
Nichts hält uns fest, wir brechen hinaus,
In endlose Weiten, vom Alltag hinaus.

Die Welt in Farben, bunt und klar,
Freiheit umschlingt uns, wunderbar.
Jeder Tag ein Geschenk, ein neues Spiel,
Die Zukunft verspricht uns das volle Ziel.

Strahlen der Freiheit, im Herzen so nah,
Träumen wir weiter, was immer geschah.
Mit Mut und mit Liebe gehen wir voran,
Freiheit als Licht, der Weg ist getan.

Sonnentau

Der Morgen erwacht, mit goldenem Schein,
Sonnentau funkelt, in zartem Verein.
Blätter wie Kristall, in Tropfen gehüllt,
Die Welt erstrahlt, vom Licht erfüllt.

Ein Hauch von Magie, in grünem Kleid,
Natur erwacht, zur schönsten Zeit.
Zwischen Gras und Moos, so leise und still,
Sonnentau wünscht Frieden, das ist sein Will.

Der Wiese ein Glanz, aus purem Licht,
Tautropfen tanzen, das Auge erfrischt.
Ein Versprechen des Tages, in Perlenglanz,
Sonnentau schenkt Liebe, im Morgentanz.

Durch die Stille des Morgens, ein leises Lied,
Von Freiheit und Leben, das niemals erliegt.
Schritte im Tau, in sanfter Pracht,
Der Tag beginnt, in stiller Macht.

Sonnentau leuchtet, im ersten Licht,
Verheißt ein Versprechen, das nie zerbricht.
Mit jedem Tropfen, ein sanftes Klingen,
Der Tag erblüht, lässt Hoffnung bringen.

Glitzernder Mut

In dunkler Nacht ein Stern erwacht,
Glitzernder Mut, in voller Pracht.
Er leuchtet so hell, durch jedes Grau,
Gibt Herz und Seele neuen Bau.

Durch Sturm und Wogen, zogen wir hin,
Glitzernder Mut, ein innerer Sinn.
Die Wege sind steinig, das Ziel oft fern,
Doch der Mut hält wach, wie ein heller Stern.

Kein Dunkel so tief, keine Angst zu schwer,
Glitzernder Mut, leuchtet uns her.
Ein Licht im Innern, unendliche Kraft,
Das Leben meistern, mit Herz und Leidenschaft.

In Augen der Menschen, ein heimliches Glänzen,
Mut, der uns eint, lässt Hoffnung ergänzen.
Schritte so sicher, mit festem Blick,
Der Mut gibt uns Halt, Stück für Stück.

Glitzernder Mut, wie ein Freund in der Nacht,
Er gibt uns Stärke, hat stets uns bewacht.
Mit Herzen vereint, so stark und klar,
Mut ist ein Stern, der immer da war.

Erhellende Zeiten

In dunkler Stunde, ein Licht erwacht,
Erhellende Zeiten, in tiefer Nacht.
Ein Funke von Hoffnung, sacht und klein,
Sei Mut unser Leuchtturm, wie Sonnenschein.

Die Tage durchdrungen, mit Nebel so dicht,
Erhellende Zeiten, im sanften Licht.
Ein Strahl durch die Wolken, so klar und rein,
Lässt Ängste verfliegen, wie Staub im Wein.

Gemeinsam schreiten, durch Schatten und Licht,
Erhellende Zeiten, das Herz durchbricht.
Ein Versprechen der Zukunft, in Farben so bunt,
Erschaffen wir Welten, gesund und rund.

Die Nacht zieht vorbei, der Morgen erwacht,
Erhellende Zeiten, in voller Pracht.
Mit jedem Schritt, ein neuer Tag,
Der Weg führt uns weiter, durch Schlag um Schlag.

Erhellende Zeiten, im Herzen geborgen,
Gibt Kraft für das Leben, bis hin zum Morgen.
Mit Lachen und Liebe, so stark und rein,
Erhellende Zeiten, ein strahlender Schein.

Erhellter Schritt

Durch Nebel schreite ich allein
Mit jedem Schritt, ein Funken Licht
Die Dunkelheit verliert ihr Sein
Ein neuer Tag, mein Gesicht erfrischt

Die Schatten weichen sanft und leis
Die Sterne glimmen, fern und klar
Ein neuer Morgen, frei von Eis
Mein Herz erwacht, ein Neubeginn

Die Wege, sie erstrahlen hell
Die Nacht, sie hat sich aufgelöst
In meinem Innern ruht ein Quell
Die Hoffnung aus dem Nebel sprießt

Ich folge nun dem hellen Pfad
Der Morgen bringt das neue Sein
In jedem Schritt, die Zukunft naht
Erhellter Schritt, mein Geist befreit

So wandre ich im Licht umhüllt
Und jeder Schritt ein neues Ziel
Die Seele strahlt, mit Mut erfüllt
Erhellter Schritt, mein Herz erbaut

Heimkehr des Lichts

Die Dämmerung in sanfter Ruh
Verabschiedet sich der alte Tag
Ein Lichtstrahl bricht durch Wolkentu
Das Dunkel weicht, zerfließt im Hag

Die Nacht, sie flieht vor hellem Schein
Ein Sternenfunkeln flammt im Licht
Im Osten kündet sich das Sein
Das Morgenrot berührt mein Gesicht

Der Himmel malt ein Farbenspiel
Mit goldnem Glanz und Rosenschein
Des Tages erster Sonnenpfeil
Durchdringt den Nebel, tief und rein

Ich spüre, wie die Wärme naht
Sie kehrt zurück, das Licht der Welt
Erfüllt die Luft, erhöht den Pfad
Ein sanftes Glühen, das uns hält

Die Dunkelheit, sie weicht zurück
Das Licht, es kehrt zurück so sacht
Ein neuer Tag, ein neues Glück
Die Heimkehr des Lichts, erwacht

Blitzartiges Erwachen

Ein Blitz, erhellt die finstre Nacht
Zerreißt die Stille, zieht mein Bild
Im Augenblick die Welt erwacht
Ein leuchtend Feuer, tief und wild

Der Donner rollt, ein mächtig Lied
Vom Himmel fällt, ein heller Strahl
Das Dunkle flieh't, verliert sein Glied
Die Nacht, der Blitz, ein großes Mahl

Ein Funke Leben, tief in mir
Erwacht in diesem hellem Schein
Die Welt erstrahlt, so nah bei Dir
Entfacht mit einem Blitz allein

Die Stille nach dem Sturm so tief
Ein Neuanfang, ein helles Sein
Das Leben aus den Schatten lief
Ein blitztartiges Erwachen, rein

Der Regen fällt, ein sanfter Fluss
Erneuert alles, was wir sind
Nach Blitz und Donner, Lebensgruß
Ein Neubeginn im Morgenwind

Sonnengarten

Ein Garten voller Licht und Glanz
Im Sonnenstrahl die Blüten blüh'n
Ein friedlich Ort im Lebenstanz
Wo Farben sich zum Himmel ziehn

Die Blumen leuchten gelb und rot
Der Himmel klar, ein warmer Schein
Im Sonnengarten, ohne Not
Find ich mein stilles Glück allein

Die Blätter rauschen sanft im Wind
Die Vögel singen freudig Lieder
Ein Frieden, den ich hier gewinn'
Lässt mich den Alltag finden wieder

Die Sonne küsst die Erde sacht
Im Garten blüht des Lebens Kraft
Ein Platz, der jede Seele wach macht
Ein Ort, wo Herz und Sinn erschafft

Sonnengarten, hell und klar
Ein Zufluchtsort im Weltenlauf
Dort wird die Seele licht und wahr
Und fängt ein neues Leben auf